ANN ARBOR DISTRICT LIBRARY

31621100171608

LA FORÊT SANS RETOUR

PAR JEFF SMITH
ENCRÉ PAR STEVE HAMAKER

TRADUIT DE L'ANGLAIS PAR JEAN-ROBERT SAUCYER

Bone® et © Jeff Smith. Tous droits réservés.
© 2006 Presses Aventure, pour la traduction en langue française.
© 1991 et 1992 Jeff Smith pour l'édition originale.

Publié pour la première fois en version couleur en 2005 par Scholastic, Graphix Inc.
sous le titre *Out From Boneville*

PRESSES AVENTURE, une division de
LES PUBLICATIONS MODUS VIVENDI INC.
55, rue Jean-Talon Ouest, 2ᵉ étage
Montréal (Québec) H2R 2W8

Dépôt légal - Bibliothèque et Archives nationales du Québec, 2006
Dépôt légal - Bibliothèque et Archives Canada, 2006

ISBN 978-2-89543-515-0

Tous droits réservés. Aucune section de cet ouvrage ne peut être reproduite, mémorisée dans
un système central ou transmise de quelque manière que ce soit ou par quelque procédé électronique,
mécanique, photocopie, enregistrement ou autre, sans l'autorisation écrite de l'éditeur.

Nous reconnaissons l'aide financière du gouvernement du Canada par l'entremise du Programme
d'aide au développement de l'industrie de l'édition (PADIÉ) pour nos activités d'édition.

Gouvernement du Québec — Programme de crédit d'impôt pour l'édition de livres — Gestion SODEC

Imprimé au Canada

TABLE DES MATIÈRES

LES PERSONNAGES PRINCIPAUX

FONE BONE

PHONCIBLE P. BONE,
COMMUNÉMENT APPELÉ
PHONEY BONE

SMILEY BONE

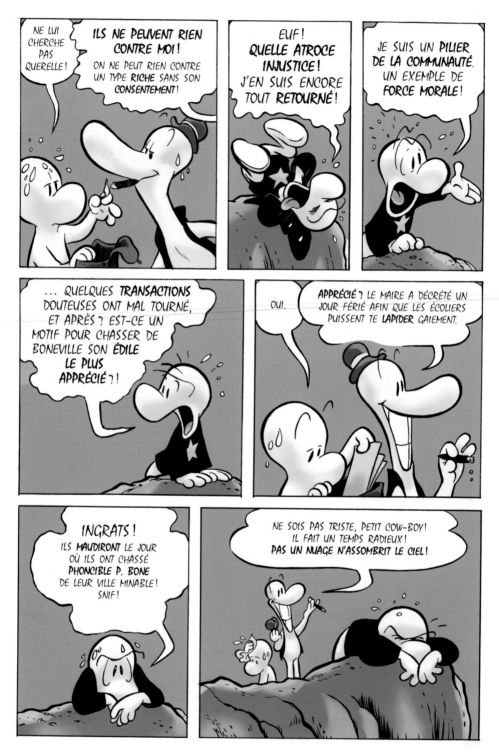

LA CARTE

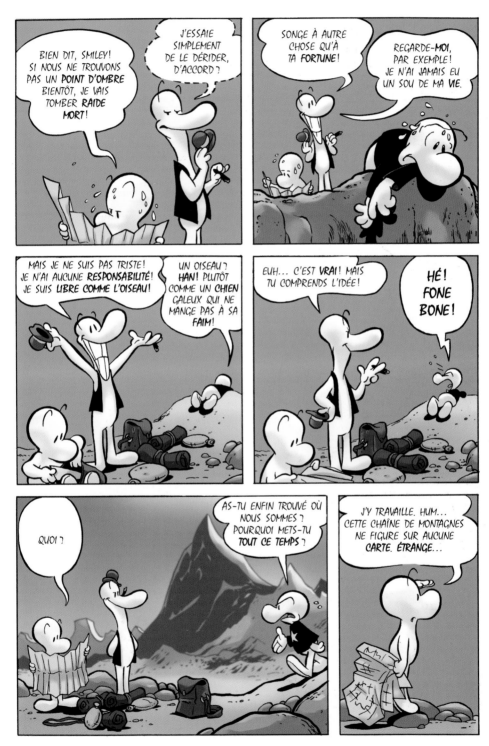

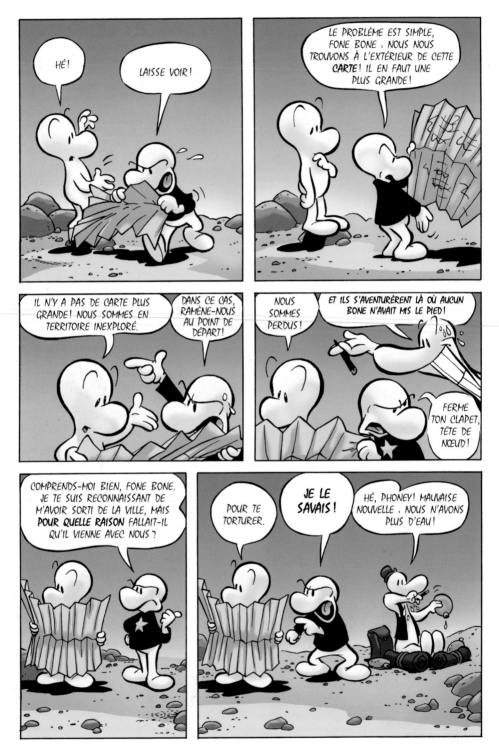

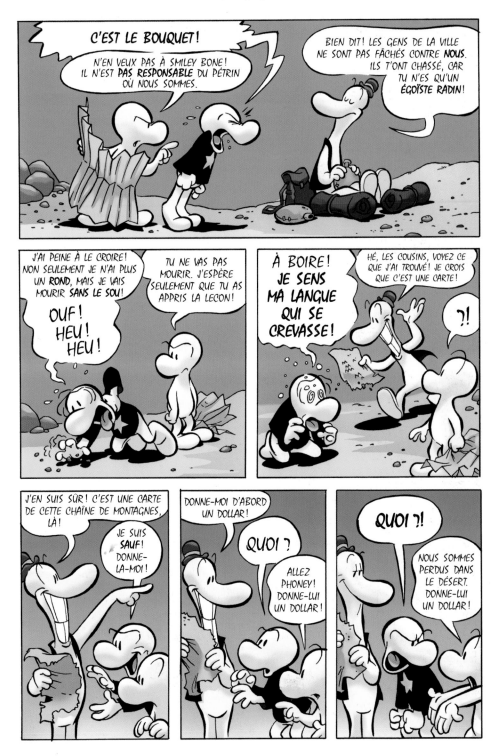

LA FORÊT SANS RETOUR

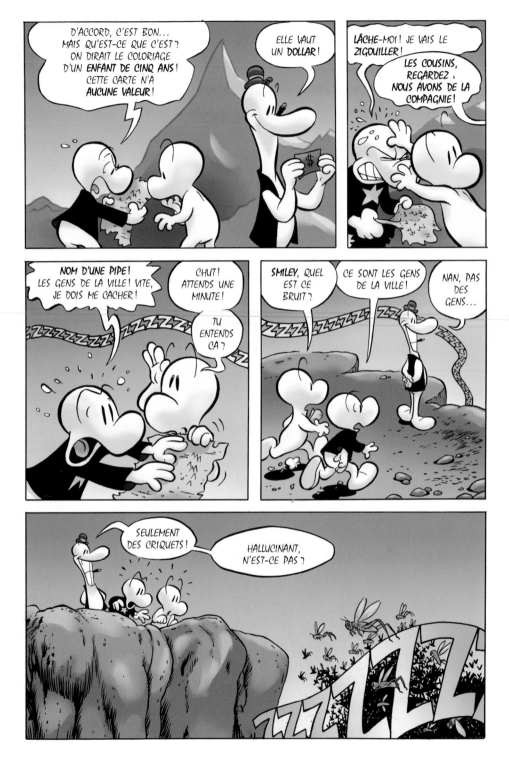

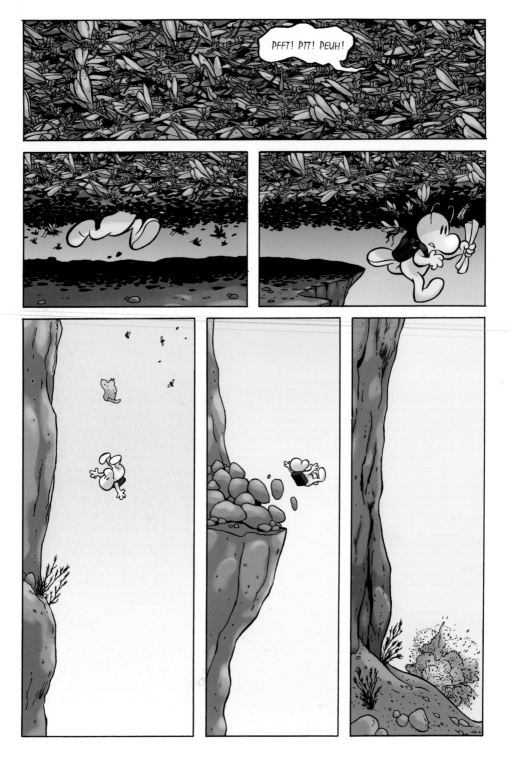

LA CARTE

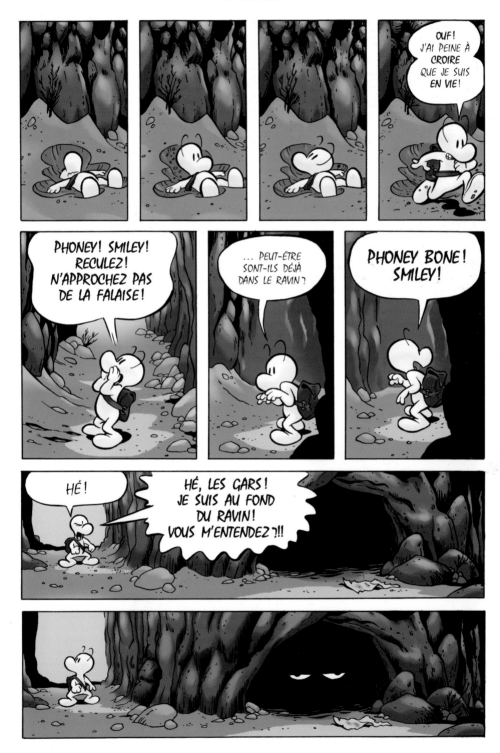

LA CARTE

LA CARTE

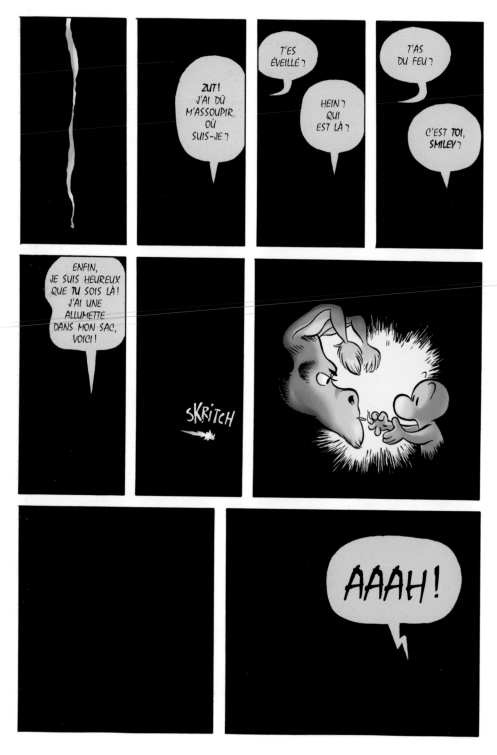

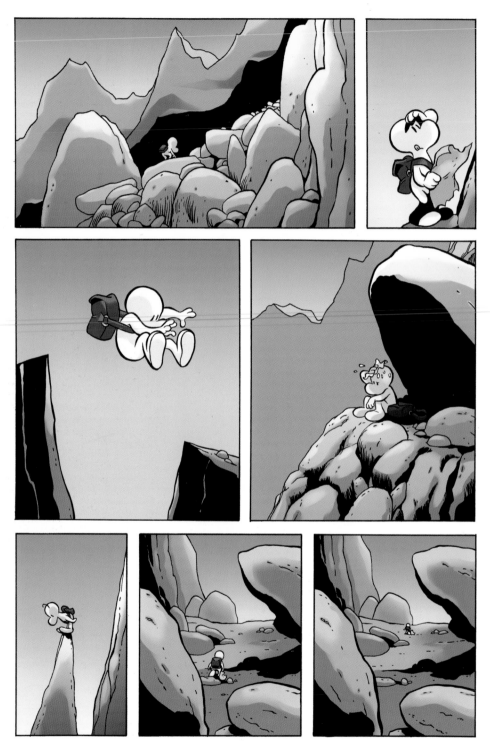

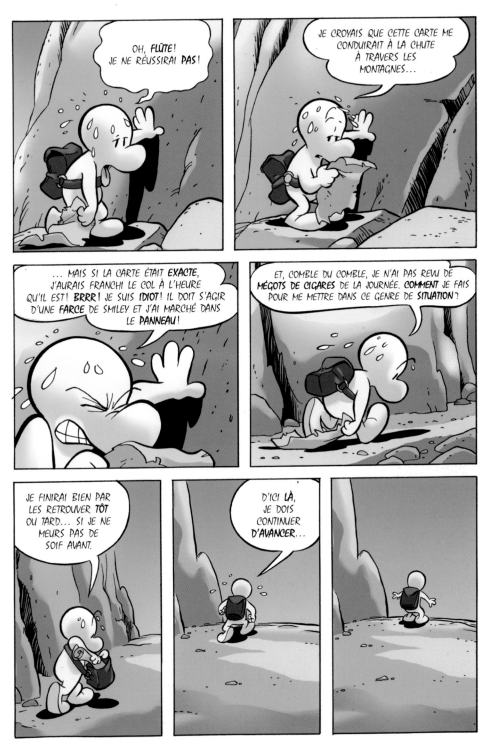

TED, ATTENDS-MOI !

ÇA, PAR EXEMPLE. REGARDE QUI VIENT DÎNER AVEC NOUS ! ALLUME LE FEU, JE TE DIS !

NON. TU M'AS TRAITÉ DE GROS.

NON ?!! QUE VEUX-TU DIRE PAR NON ?!!

ET, D'AILLEURS, CE N'EST PAS LA PREMIÈRE FOIS...

CAMARADE, SOIS RAISONNABLE. J'AI PARLÉ SANS RÉFLÉCHIR... J'ESSAYAIS DE TROUVER À DÎNER... CE N'EST PAS LE MOMENT...

JE REGRETTE MES PAROLES... TU N'ES PAS GROS.

TROP TARD !

JE T'EN PRIE, CAMARADE. IL FAUT LE HACHER POUR FAIRE UN RAGOÛT.

J'EN AI SOUPÉ DU RAGOÛT ! JE VEUX LE METTRE EN PÂTE ET EN FAIRE UNE QUICHE FEUILLETÉE.

QUICHE ?! MAIS QUEL MONSTRE BOUFFE DE LA QUICHE ?!... PETIT, EST-CE QUE TU POURRAIS REVENIR DANS UNE DEMI-HEURE ? NOUS AURONS ALORS RÉGLÉ LA QUESTION.

POURQUOI NE M'AS-TU PAS EMPÊCHÉ ?

POURQUOI JE L'AURAIS FAIT ? TU ES SI FUTÉ !

LA FORÊT SANS RETOUR

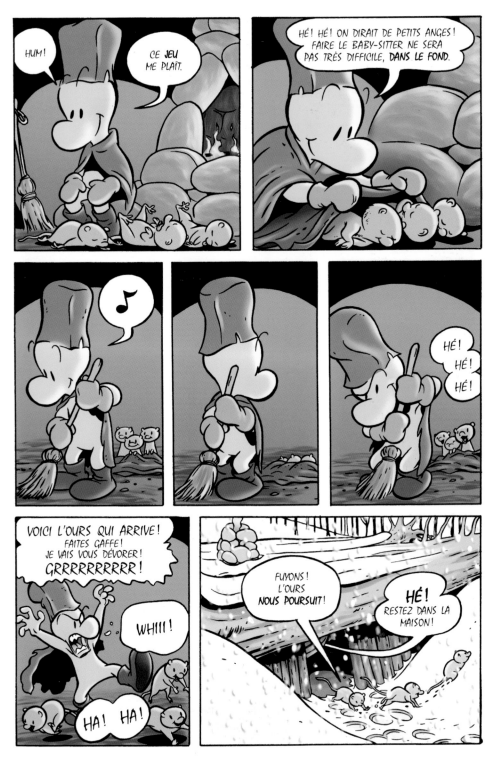

MAIS BIEN **ÉVIDEMMENT**! IL Y A UNE **SOURCE** D'EAU CHAUDE DE L'AUTRE VERSANT DE LA COLLINE. ALLEZ VOUS Y DÉBARBOUILLER. VENEZ AVEC MOI, LES GARÇONS! DITES MERCI À ONCLE BONE!

MERCI!

A-T-IL VRAIMENT VU UN DRAGON?

VOYONS, CHÉRI...

JE N'AI PAS LA **BERLUE**, J'AI VU CE DRAGON!

QU'EST-CE QU'ILS **CROIENT**? QUE J'AI MIS LE FEU À MON **BONNET**?

COMMENT CE DRAGON SAVAIT-IL QUE JE VEILLAIS SUR LES PETITS DE MME **POSSUM**? POURQUOI ME **SURVEILLE**-T-IL?

CET ENDROIT EST **TROP** ÉTRANGE. DÈS QUE REVIENT LE PRINTEMPS, JE M'**ENFUIS** DE CES MONTAGNES AVEC OU **SANS MES COUSINS**!

SNAP!

OH HO! QU'EST-CE QUE C'EST?

THORN

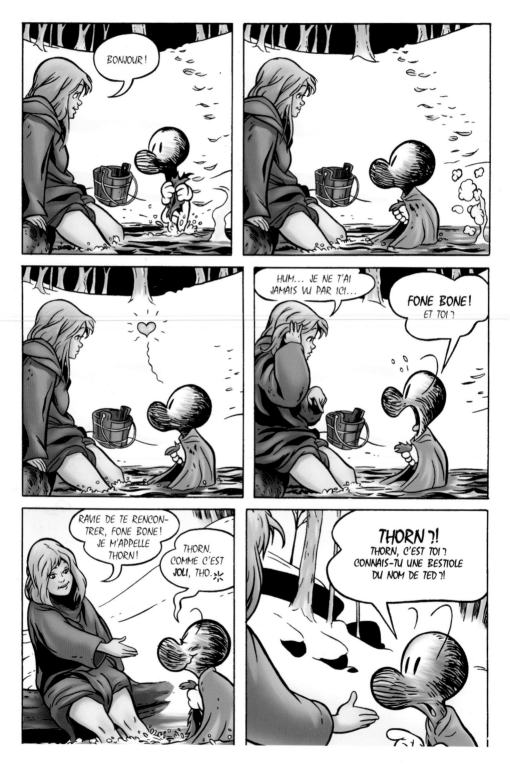

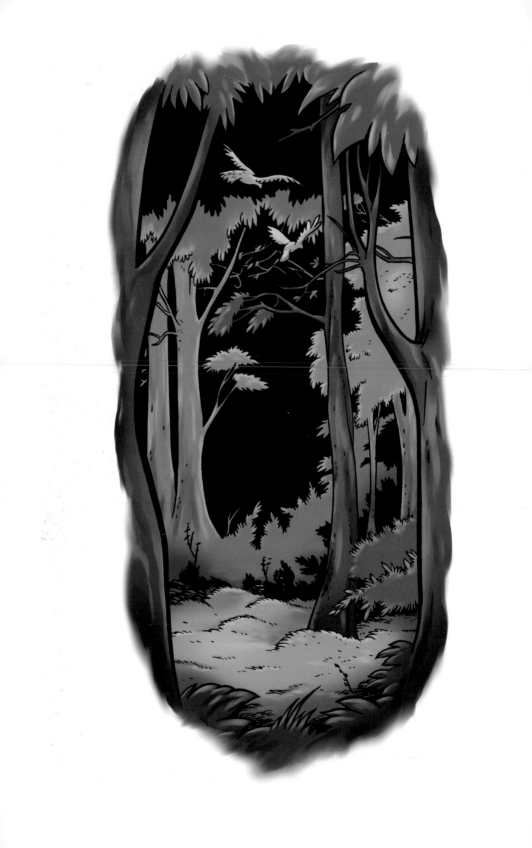

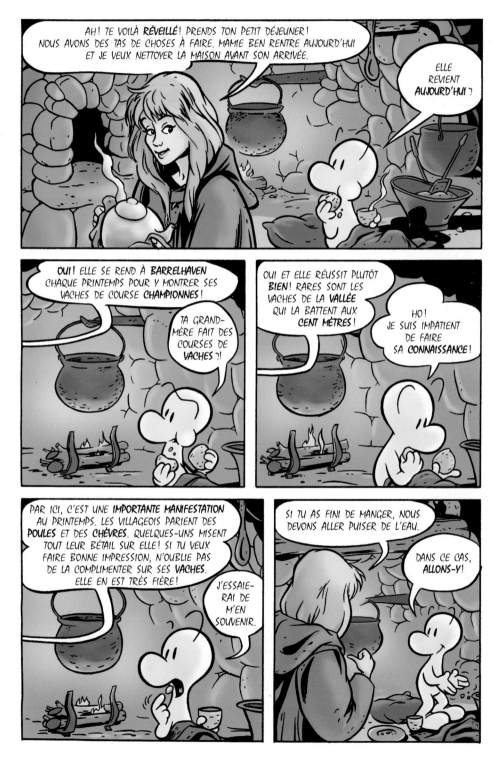

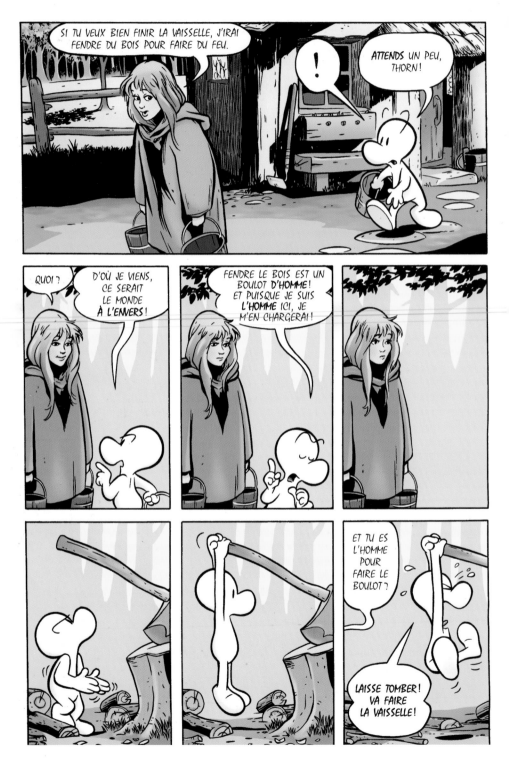

BRRR!
GRRR!
TSS-TSS!

BRRR!

SPLOP

SPLOOOSH

ATTENDEZ UN PEU QUE JE METTE LA MAIN AU COLLET DE MON COUSIN!

J'AI PEINE À **CROIRE** QUE FONE BONE PUISSE M'ABANDONNER SEUL ET AFFAMÉ DANS CETTE FORÊT!

JE PARIE QU'IL EST DE RETOUR À BONEVILLE, AU CHAUD DANS MA **MAISON** À BOUFFER MES **PROVISIONS**!

GLOUP!
GLOUGLOU
GRRRR

GLOUP!

HÉ! LA FERME! J'AI MANGÉ DES RACINES IL Y A UNE HEURE. QUE **VEUX-TU** DE PLUS ?!

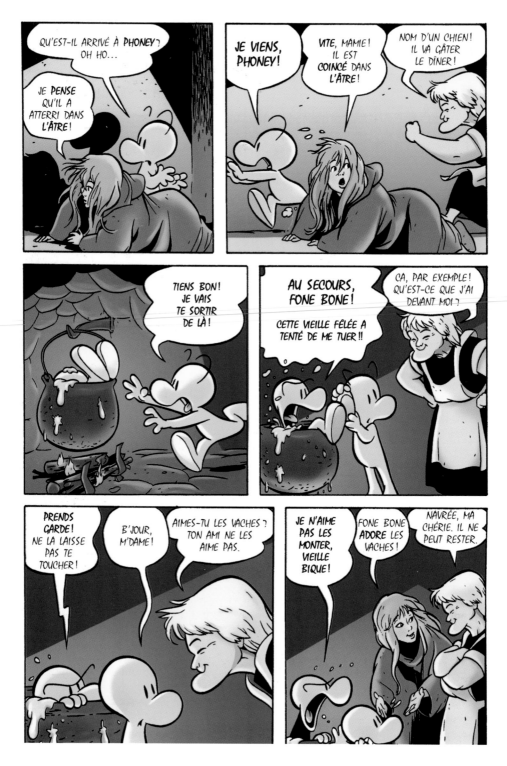

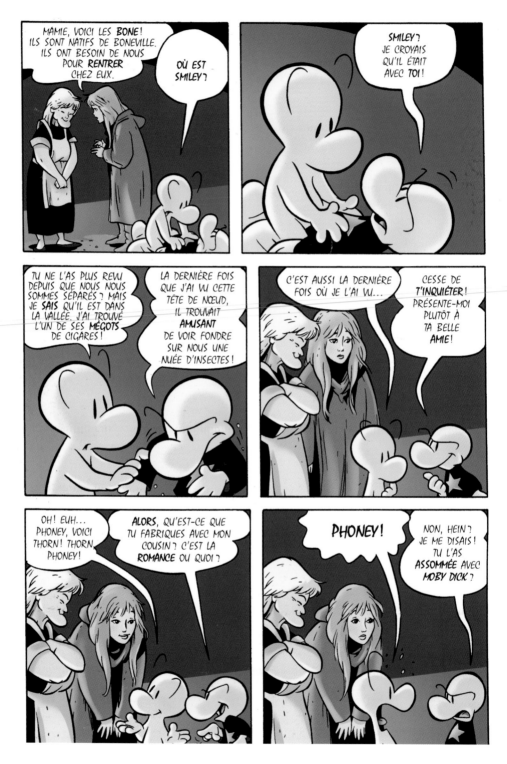

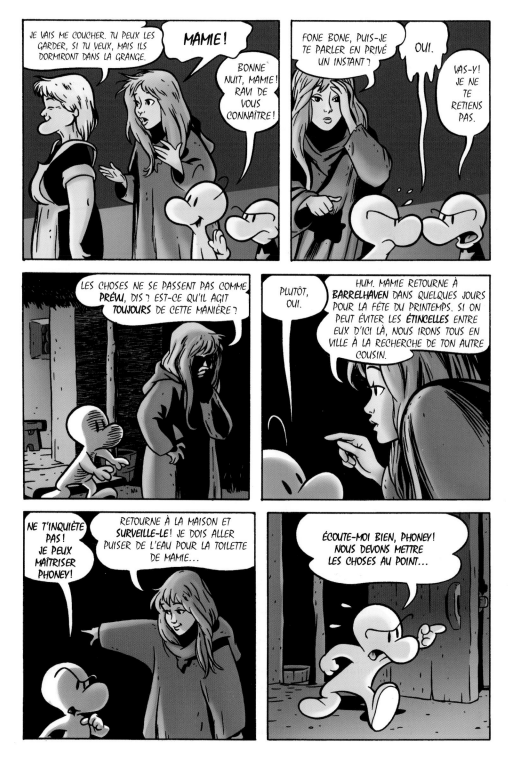

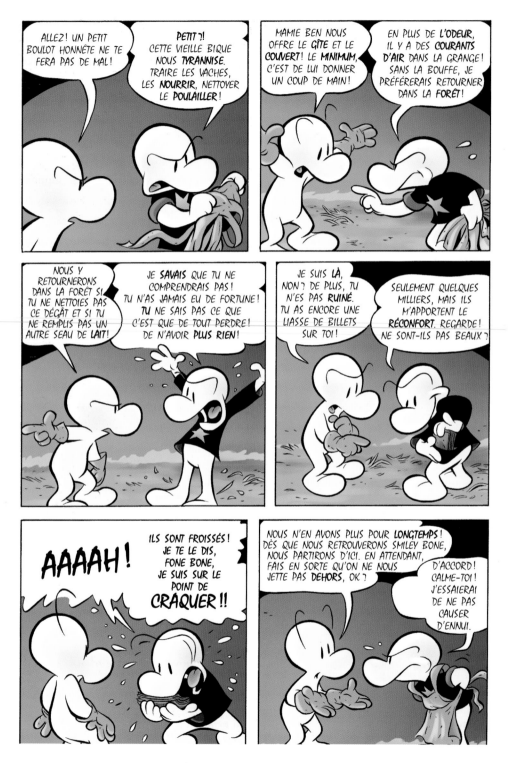

LA FORÊT SANS RETOUR

LA FORÊT SANS RETOUR

TOUT EST PRÊT POUR DEMAIN. SI SEULEMENT CETTE PICOTE POUVAIT DISPARAÎTRE !

AVEZ-VOUS TROUVÉ LE PETIT MORVEUX ?

NON. ET MES **BOTTES** ET MON **SAC** ONT DISPARU ! JE CRAINS QU'IL SOIT ALLÉ EN VILLE SANS NOUS !

NOUS L'AVONS CHERCHÉ, MAIS IL N'Y A TRACE DE LUI NULLE PART. NOUS SOMMES ALLÉS À LA CAVERNE DU VIEIL HOMME AVANT QU'IL FASSE SOMBRE. JE SUIS SÛRE QU'IL SERA À LA FOIRE DEMAIN !

HUM... JE N'AIME PAS ÇA. ET LA LUNE N'ANNONCE RIEN DE BON CE SOIR.

COURS À LA GRANGE ET RAPPORTE TA COUVERTURE ! TU FERAIS MIEUX DE PASSER LA NUIT À LA MAISON !

D'ACCORD.

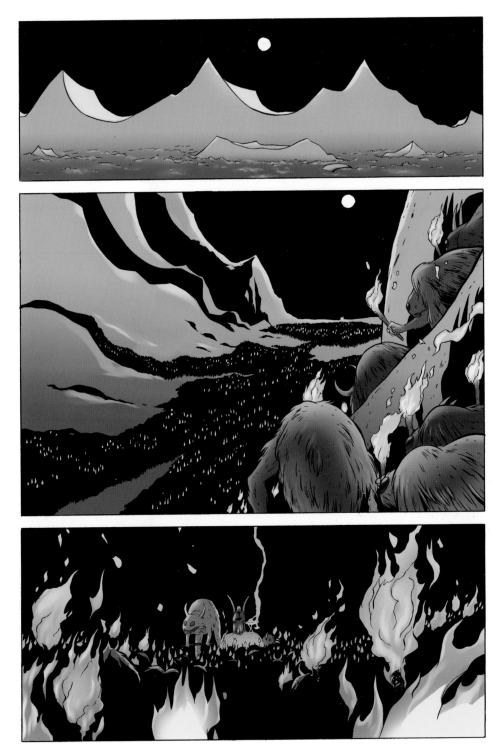

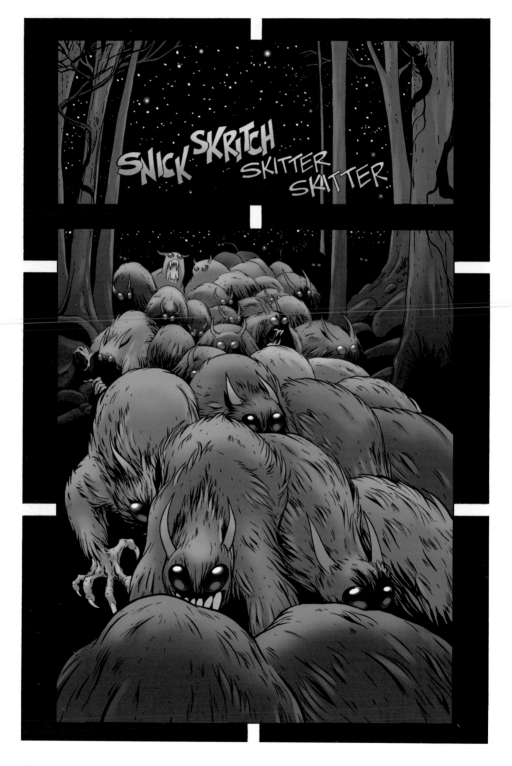

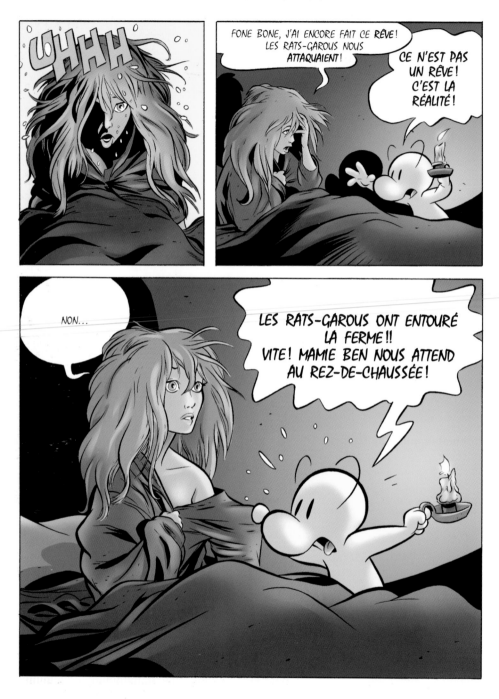

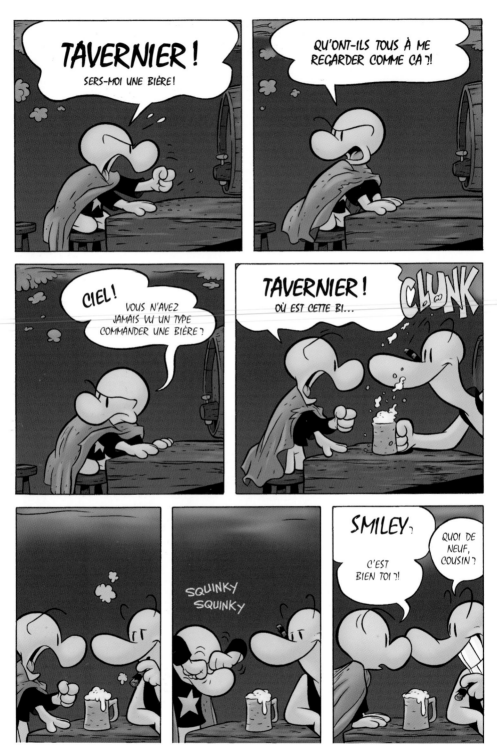

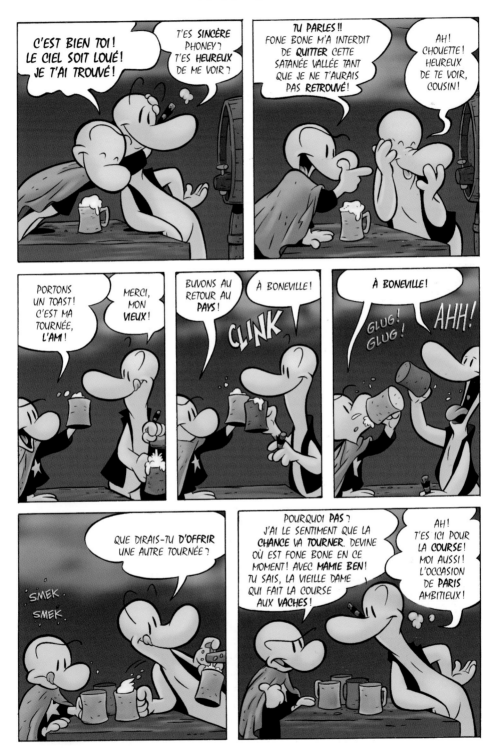

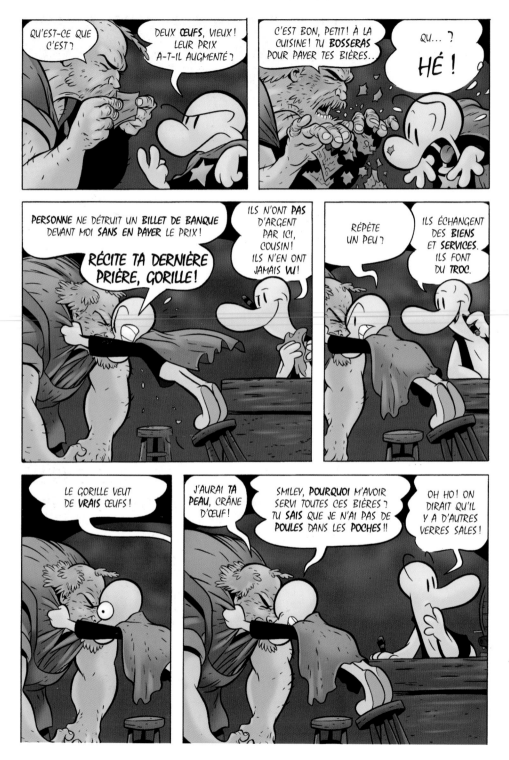

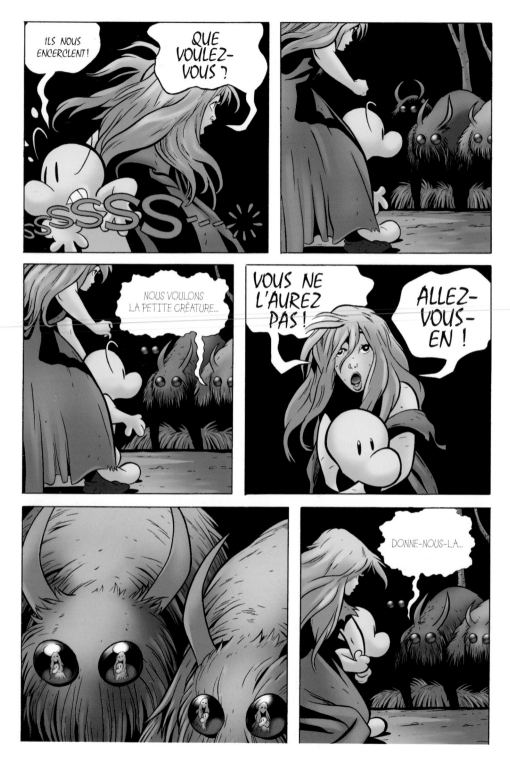

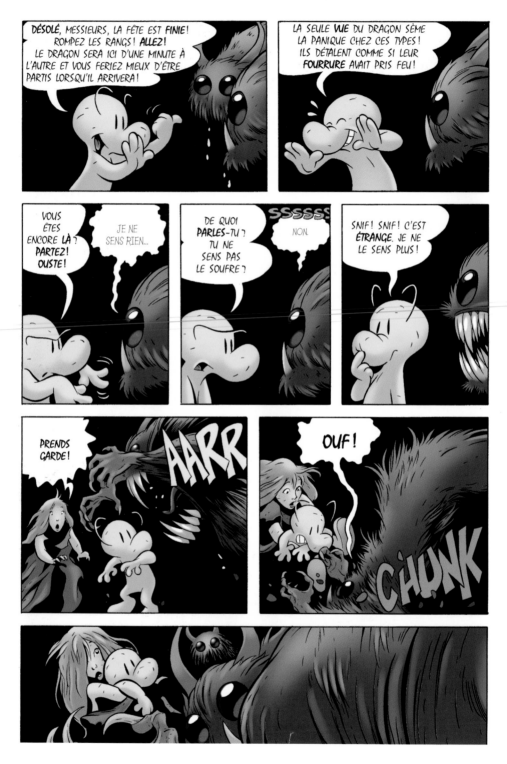

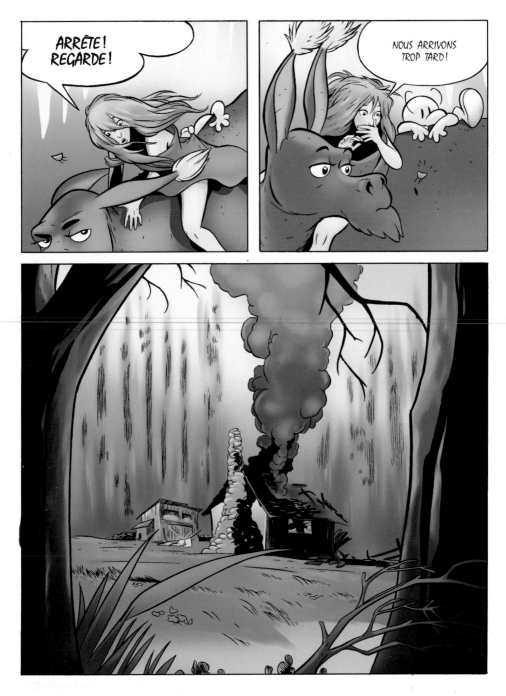

PHONEY A CONVIÉ **TOUS** LES CITADINS EN LEUR PROMETTANT UN **BUFFET GRATUIT**. TOUS NE PARLAIENT QUE DE CE **PIQUE-NIQUE**!

PUIS, LE GRAND JOUR EST ARRIVÉ. LA **VILLE ENTIÈRE** Y ÉTAIT. LES ENFANTS S'AMUSAIENT SOUS LES ARBRES, LES FEMMES PORTAIENT DES CAPELINES ET DES ROBES D'ÉTÉ. LE PIQUE-NIQUE S'ANNONÇAIT **TRÈS RÉUSSI**!

DANS CE PARC SE TROUVE UNE **STATUE** DE **JOHNSON BONE**, LE **FONDATEUR** DE BONEVILLE, ET, PUISQUE NOUS SOMMES SES **DESCENDANTS**, PHONEY SOUHAITAIT FAIRE SON DISCOURS DEVANT CETTE STATUE.

... POUR AJOUTER AUX **CÉLÉBRATIONS**, PHONEY AVAIT COMMANDÉ UN **BALLON** DE QUINZE MÈTRES À SON EFFIGIE, QUI ÉTAIT FICELÉ À LA STATUE.

VIENS-EN À LA CONCLUSION, VEUX-TU BONE?

TOUT SE PASSAIT BIEN. LES GENS ÉCOUTAIENT LA FANFARE DES **POMPIERS** ET SE CHAUFFAIENT AU SOLEIL. LES PLATS CIRCULAIENT ET IL Y AVAIT DE LA **TARTE AUX PRUNES** POUR TOUS!

DE LA TARTE AUX PRUNES?

OUAIS! VOUS CONNAISSEZ PHONEY. UN MARCHAND LUI AVAIT CONSENTI UN **SOLDE** SUR LES **PRUNES**.

OUI, JE VOIS!

IL EN VIENT À SE LEVER ET À FAIRE **L'ANNONCE** DE SA CANDIDATURE À **LA MAIRIE** DE **BONEVILLE.**

C'EST À CE MOMENT QU'ILS **AURAIENT DÛ** LE CHASSER!

C'EST ALORS QU'UNE RAFALE EST MONTÉE DE LA RIVIÈRE POUR EMPORTER LE **BALLON**! LA STATUE A ÉTÉ DÉLOGÉE DE SON **SOCLE** ET S'EST BALANCÉE AU BOUT DE **L'AMARRE**. SOUDAIN, CET IMMENSE PHONEY BONE GONFLABLE S'EST DIRIGÉ VERS LA **FOULE**!

HOUP!

C'ÉTAIT **TERRIFIANT**! **MLLE CRAB-BONE**, MON INSTITUTRICE, S'EST **AFFOLÉE** LA PREMIÈRE! ELLE S'EST MISE À HURLER ET À COURIR EN TOUS SENS. LE BALLON L'A POURSUIVIE JUSQU'À LA RIVIÈRE AVANT QUE SMILEY ET MOI PARVENIONS À LE **DÉGONFLER**!

... C'ÉTAIT **AFFREUX**! TOUS ÉTAIENT **BOUCHE BÉE**! AU DÉBUT, PERSONNE N'OSAIT BOUGER. ILS RESTAIENT IMMOBILES, FIGÉS DANS L'HORREUR.

C'EST À CE MOMENT QU'ON VOUS A CHASSÉS?

NON. C'EST LORSQUE LES **PRUNES AVARIÉES** ONT FAIT LEUR EFFET.

HÉ, SMILEY! APPORTE CE BAC DE VERRES SALES À TON COPAIN! NOUS MANQUONS ENCORE DE **CHOPES**!

OUI, MONSIEUR DOWN!

VOICI POUR TOI, PHONEY! LUCIUS VEUT QU'ILS SOIENT LAVÉS À **TOUTE VITESSE**. NOUS AVONS PLUSIEURS **CLIENTS** QUI ONT **SOIF**!

IL VA SANS DIRE QUE CHAQUE CLIENT A DROIT À **UNE CHOPE PROPRE** À CHAQUE BIÈRE QU'IL COMMANDE!

J'AI BIEN VU ÇA.

CLUNK

L'ENFER DE PHONEY

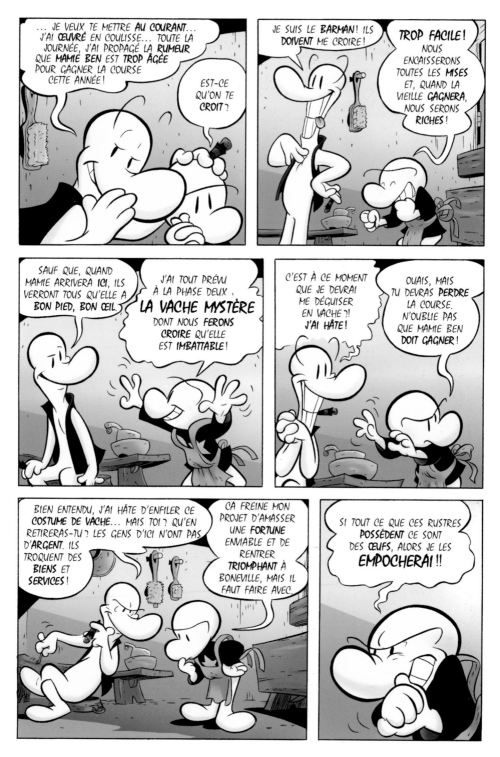

... JE VEUX TE METTRE **AU COURANT**... J'AI **ŒUVRÉ** EN COULISSE... TOUTE LA JOURNÉE, J'AI PROPAGÉ LA **RUMEUR** QUE MAMIE BEN EST **TROP ÂGÉE** POUR GAGNER LA COURSE CETTE ANNÉE !

EST-CE QU'ON TE **CROIT** ?

JE SUIS LE **BARMAN** ! ILS **DOIVENT** ME CROIRE !

TROP FACILE ! NOUS ENCAISSERONS TOUTES LES **MISES** ET, QUAND LA VIEILLE **GAGNERA**, NOUS SERONS **RICHES** !

SAUF QUE, QUAND MAMIE ARRIVERA **ICI**, ILS VERRONT TOUS QU'ELLE A **BON PIED, BON ŒIL**.

J'AI TOUT PRÉVU À LA PHASE DEUX : **LA VACHE MYSTÈRE** DONT NOUS **FERONS** CROIRE QU'ELLE EST **IMBATTABLE** !

C'EST À CE MOMENT QUE JE DEVRAI ME DÉGUISER EN VACHE ?!! J'AI **HÂTE** !

OUAIS, MAIS TU DEVRAS **PERDRE** LA COURSE. N'OUBLIE PAS QUE MAMIE BEN **DOIT GAGNER** !

BIEN ENTENDU, J'AI HÂTE D'ENFILER CE **COSTUME DE VACHE**... MAIS TOI ? QU'EN RETIRERAS-TU ? LES GENS D'ICI N'ONT PAS D'ARGENT. ILS TROQUENT DES **BIENS** ET **SERVICES** !

ÇA FREINE MON PROJET D'AMASSER UNE **FORTUNE** ENVIABLE ET DE RENTRER **TRIOMPHANT** À BONEVILLE, MAIS IL FAUT FAIRE AVEC.

SI TOUT CE QUE CES RUSTRES **POSSÈDENT** CE SONT DES **ŒUFS**, ALORS JE LES **EMPOCHERAI** !!

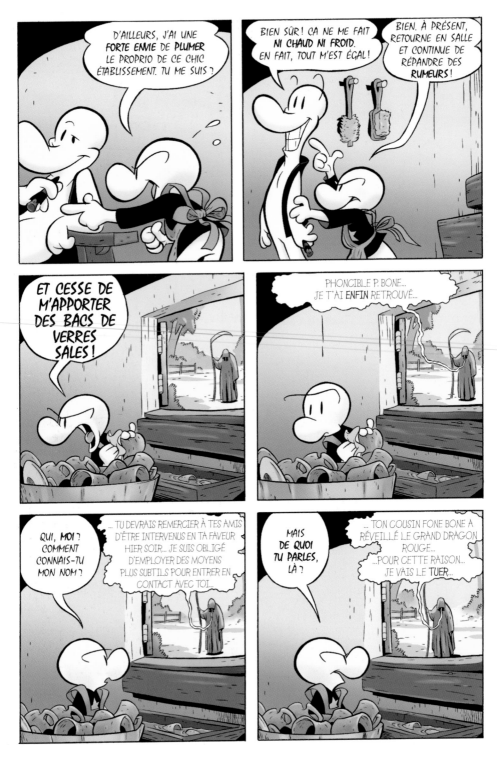

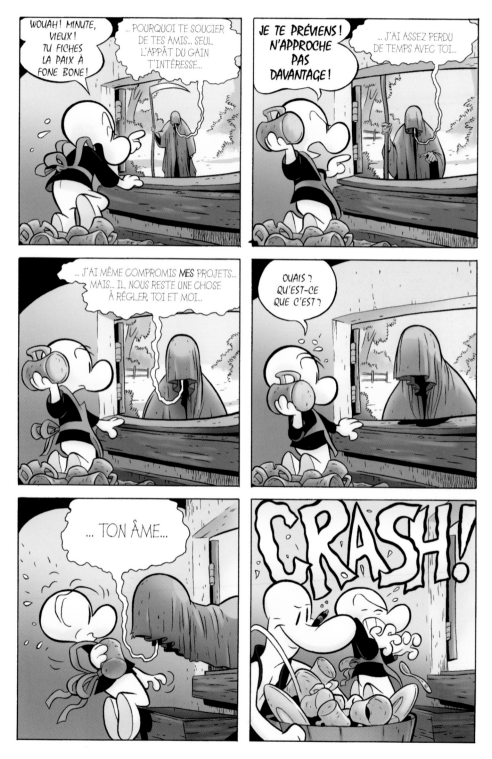

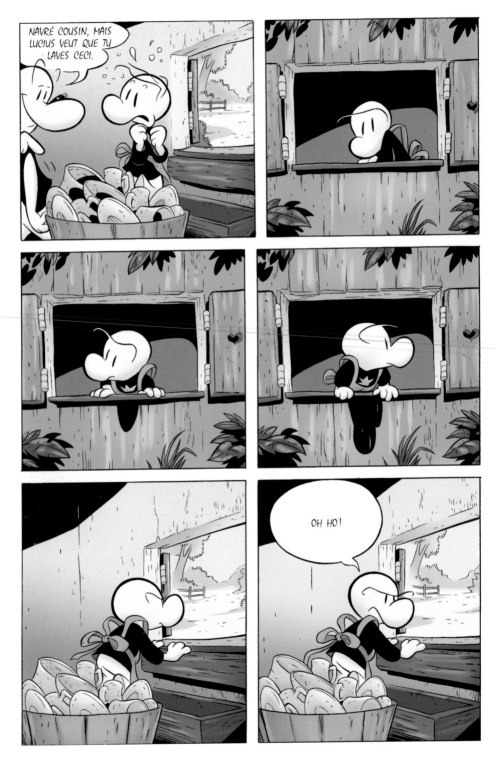

NOUS LES AVONS VUS. PEUT-ON PASSER ?

OUI. VENEZ PAR ICI !

B'JOUR, MLLE THORN !

BONJOUR, JON.

BONNE CHANCE À LA COURSE, MAMIE ! TOUS ONT PARIÉ SUR VOUS !

MERCI, PETIT !

THORN ?

OUI, FONE BONE ?

MERCI D'ÊTRE RESTÉE AVEC MOI LA NUIT DERNIÈRE ! J'IGNORE POURQUOI LES RATS-GAROUS **ME** CHERCHAIENT... MAIS ILS M'AURAIENT **CAPTURÉ** SI TU NE LES AVAIS PAS **AFFRONTÉS**.

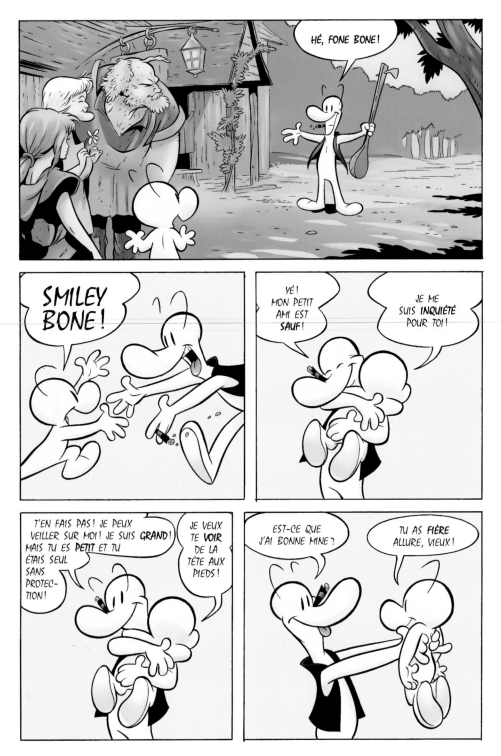

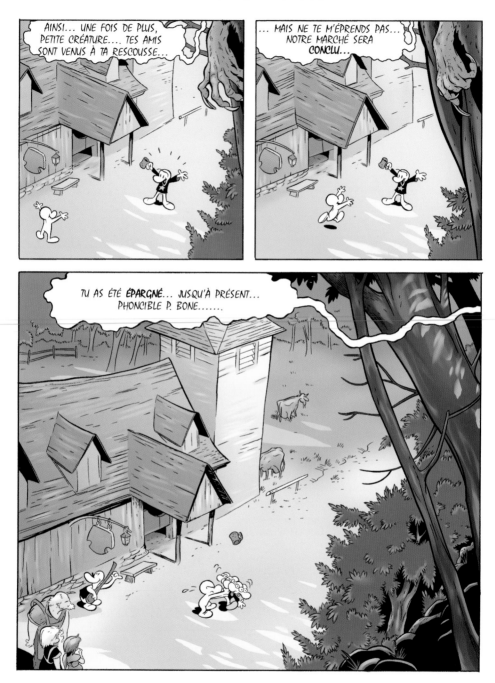

L'AUTEUR

Jeff Smith est né et a grandi dans le Midwest américain. Il a appris l'art du dessin humoristique en s'inspirant de bandes dessinées, de livres de contes illustrés et de dessins animés présentés à la télévision. Pendant quatre ans, il a créé des bandes dessinées pour le journal étudiant de l'université de l'Ohio. En 1986, il a été cofondateur du studio d'animation Character Builders. C'est en 1991 qu'il a publié le premier numéro de la bande dessinée BONE. Tout en travaillant à la production de BONE et à la réalisation d'autres projets d'animation, Jeff Smith a consacré beaucoup d'énergie à la promotion de la bande dessinée et du roman graphique à l'échelle internationale.

À PROPOS DE BONE

BONE, une bande dessinée qui sort des sentiers battus, est devenue un classique instantané dès la parution du premier numéro en 1991. Depuis, BONE a reçu 38 prix internationaux et a été traduit en quinze langues. Il est vendu à des millions d'exemplaires. Les neuf numéros de BONE sont actuellement imprimés en couleurs par Presses Aventure.

LA CHUTE
D'EAU

REPAIRE
DES DRAGONS

LA GROTTE DU
VIEL HOMME

DEREN
GARD

LA SOURCE
D'EAU CHAUDE

FERME DE
MAMIE BEN

TAVERNE DE
BARRELHAVEN

CHAMP DE
BATAILLE
DE KNOTT

LE CHAMP
DE FOIRE

N

O   E

S

R A V I N

La Vallée